Mercedes L. Savatoure ✳

CUIDADO Y BELLEZA
de
manos
y pies

imaginador

Mercedes L. Savatoure
    Cuidado y belleza de manos y pies. - 1ª. ed.-
Buenos Aires: Grupo Imaginador de Ediciones, 2007
96 p.; 20x14 cm.

ISBN: 978-950-768-552-1

1. Manicuría y Pedicuría. I. Título
CDD 646.727

Primera edición: junio de 2006
Última reimpresión: septiembre de 2007

I.S.B.N.: 978-950-768-552-1

Se ha hecho el depósito que establece la Ley 11.723
©GIDESA, 2007
Bartolomé Mitre 3749 - Ciudad Autónoma de Buenos Aires
República Argentina
Impreso en Argentina - Printed in Argentina

Se terminó de imprimir en Mundo Gráfico S.R.L., Zeballos 885, Avellaneda,
en septiembre de 2007 con una tirada de 8.000 ejemplares.

UÑAS Y CUTÍCULAS

consejos básicos

TODA LA BELLEZA EN
nuestras uñas

La uña es una placa córnea que se origina a partir del endurecimiento de las células de la epidermis. Se trata de un tejido vivo que, por lo tanto, se ve afectado por diversos factores, tanto internos como externos.

Al igual que el cabello, las uñas son una prolongación de la piel. Por lo tanto, ante la aparición de cualquier síntoma que implique deterioro –debilitamiento, descamación, manchas blancas, hongos, etc.– debe consultarse a un dermatólogo.

A modo preventivo, debe tener en cuenta que las sustancias que favorecen el crecimiento y, por ende, la fortaleza de las uñas, son el zinc y ciertos aminoácidos presentes, sobre todo, en la gelatina.

La cutícula

Se trata de un tejido en forma de capa que cubre y protege a la piel en el crecimiento de la uña. Es una zona muy delicada ya que en ella se encuentran nervios y vasos sanguíneos.

Como cualquier tejido vivo, la cutícula reacciona ante los cambios bruscos de temperatura, el exceso de humedad y la acción de productos agresivos (jabones, detergentes, etc.). Por esta razón debe cuidársela aplicando sobre la zona aceites hidratantes y cortarla sólo en caso de que haya crecido en exceso.

SOLUCIONES PARA LA CUTÍCULA

Un masaje ligero diario con unas gotitas de aceite hidratante sobre el nacimiento de las uñas (previamente despintadas) ayudará a activar la circulación en la zona, mejorar el aspecto de las cutículas y favorecer el crecimiento de uñas sanas y fuertes.

LA HIDRATACIÓN DE
manos y pies

Las manos y los pies deben estar convenientemente hidratados para que la piel no se reseque y favorecer una correcta circulación sanguínea.

Aplique diariamente cremas nutritivas específicas para cada zona del cuerpo, masajeando suavemente desde el nacimiento de los dedos hasta los extremos. Intensifique su aplicación en el invierno ya que el frío y el viento son temibles enemigos de la piel.

También se puede recurrir a procedimientos especiales, que actúan en las capas más profundas de la piel. Por ejemplo, los baños de parafina que se realizan en salones de belleza. Los mismos consisten en sumergir las manos o los pies en parafina caliente envueltos con plástico, cubrirlos con toallas calientes y envolverlos nuevamente con plástico para conservar la temperatura. Este tratamiento debe ser mensual ya que sus efectos son profundos y duraderos.

El aceite de oliva: un aliado natural

Para fortalecer las uñas y mantener la hidratación
de las cutículas, sumerja los dedos durante diez
minutos en aceite de oliva tibio.
Luego, lave las manos y huméctelas con crema.
Si quiere utilizarlo para eliminar asperezas en los pies,
mezcle una cucharada de aceite con una cucharadita
al ras de azúcar y friccione la zona durante
dos o tres minutos.

CÓMO LOGRAR
uñas perfectas

El procedimiento completo a realizar, tanto en manos como en pies, es el siguiente:

LIMAR LAS UÑAS.

*

RETRAER O CORTAR CUTÍCULAS.

*

ELIMINAR LA PIEL DE LOS COSTADOS
DE LOS DEDOS.

*

PULIR DUREZAS O CALLOSIDADES
(EN EL CASO DE LOS PIES,
EXCLUSIVAMENTE).

*

APLICAR FORTALECEDOR O BASE.

*

APLICAR ESMALTE.

Aunque es conveniente realizar este tratamiento cada quince días, hay quienes deben realizarlo semanalmente ya que las uñas se deterioran más rápidamente.

Cómo y cuándo limar las uñas

Las limas deben elegirse en función del tipo de uña que se tenga: dura y fuerte o débil y quebradiza. Hay limas de grano grueso, intermedio y fino que se fabrican en diversos materiales. Es conveniente descartar las limas metálicas porque son muy agresivas. Tenga en cuenta que las limas de cartón, aunque son económicas, duran mucho menos que las limas de plástico.

Nunca lime las uñas después de un baño de inmersión ya que, con el agua caliente, se ablandarán y es más fácil que se rompan.
Se deben comenzar a limar las uñas utilizando la parte de la lima con grano grueso. A continuación, se aplicará la lima por la parte de grano fino para lograr un acabado perfecto.

LOS ALIADOS
de la belleza

Los esmaltes

Los buenos esmaltes son más duraderos y conservan el brillo por más tiempo. En cuanto a los colores es indispensable saber que los tonos oscuros "acortan" visualmente las uñas y que los claros las alargan.

Si además de pintarse las uñas de las manos también va a hacerlo con la de los pies, le aconsejamos elegir un tono más claro que el utilizado en las uñas de las manos o, simplemente, aplicar brillo transparente.

La tendencia actual indica que los perlados han desplazado a los cremosos entre los más elegidos. También se usan los tornasolados y aquellos que contienen brillitos.

El fortalecedor de uñas

El fortalecedor debe aplicarse antes de esmaltar las
uñas y después de haberlas limado y tratado las cutículas.

Además del fortalecedor, después del esmalte, aplique
una capa de "protector". Hará que el brillo de la uña se
mantenga por más tiempo.

A continuación, detallamos algunas de sus virtudes:

CONTIENE SUSTANCIAS QUE PROTEGEN A
LA UÑA Y QUE HACEN QUE CREZCAN
SANAS Y FUERTES.

*

EVITA QUE LA UÑA SE TIÑA
CON EL PIGMENTO DEL ESMALTE.

*

POSEE UNA CONSISTENCIA SIMILAR A LA
DEL ESMALTE AUNQUE SU SECADO ES
MUCHO MÁS RÁPIDO E INCOLORO.

El equipo básico

La lima, el empuja-cutículas, el removedor de cutículas y el alicate son los aliados indispensables para trabajar de manera correcta tanto las uñas de las manos como la de los pies. Elija los de mejor calidad aunque resulten más costosos ya que tanto las uñas como las cutículas son muy delicadas y deben cuidarse con elementos fabricados con materiales nobles.

✳ LIMA

Como señalamos con anterioridad, las hay de diferente grosor de grano y tipo de material, de acuerdo con la etapa del limado y la calidad de uña que se posea, respectivamente.

✳ EMPUJA-CUTÍCULAS

Posee un extremo similar a una espátula, de borde romo (sin puntas ni aristas), para retraer la cutícula hacia el nacimiento de la uña.

✳ REMOVEDOR DE CUTÍCULAS

Posee un extremo filoso para cortar el exceso de cutícula. El removedor puede adquirirse como una sola herramienta o bien, perteneciendo al extremo opuesto del empuja-cutículas.

✳ ALICATE

Se trabaja más cómodamente con el que tiene el filo ubicado de costado, en forma perpendicular a las pinzas que lo accionan.

✳ MATERIALES

- Algodón
- Hisopos
- Toallas de mano
- Agua tibia
- Crema nutritiva
- Esmaltes
- Brillo incoloro
- Fortalecedor
- Quitaesmalte
- Spray o líquido secaesmalte
- Ablandador de cutículas
- Uno o dos boles o cuencos
- Adhesivo para uñas postizas
- Lima cilíndrica
- Piedra volcánica (piedra pómez)

Para que el esmalte se mantenga en buenas condiciones, no sacuda los frascos de esmalte antes de utilizarlos. Bastará con apoyarlos en la palma de la mano y que rueden con la otra para que se homogenicen.

LA IMPORTANCIA DE LA
alimentación

Las uñas son tejido vivo y se ven afectadas por factores internos y externos. La alimentación es fundamental para cuidar la salud.

Una dieta desequilibrada se reflejará en las uñas, volviéndolas quebradizas.

A continuación, detallamos una lista de alimentos recomendados para evitar el debilitamiento de las uñas.

✳ MINERALES

• Calcio: posibilita que las uñas tengan una consistencia sólida. Pescados, lácteos y derivados son algunos de los alimentos a consumir.

• Azufre: posee acción antiséptica y es necesario en el proceso de formación de la uña. La cebolla y el pepino son los principales portadores de azufre.

• Hierro: colabora con el aporte de oxígeno a los tejidos y, por ello, mejora la calidad de la uña. Hígado, lentejas y espinaca son sus fuentes principales.

✱ VITAMINAS

• Vitamina A: favorece el crecimiento y hace que el tejido córneo de la uña se endurezca. Zanahoria, tomate y vegetales verdes son sus principales fuentes.

• Vitamina C: tiene acción antiséptica y colabora en la formación del tejido constitutivo de la uña. Cítricos, pimientos rojos y verdes son los más recomendados.

• Vitamina D: contribuye a fijar el calcio combinada con la acción de los rayos solares. Lácteos y derivados, yema de huevo, pescados y aceite de oliva son sus principales fuentes.

MANOS Y PIES
perfectos

Claves para manos perfectas

a) No olvide aplicar fortalecedor, previo al esmaltado. De esta forma, la uña no absorbe el pigmento y protege el esmalte.

b) Use guantes de goma para proteger sus manos cuando realice tareas en el hogar en las que manipule productos abrasivos.

c) El esmalte debe estar completamente seco antes de aplicar la segunda capa ya que, de lo contrario, se corre el riesgo de que el esmalte se marque al más mínimo contacto con un objeto y que tarde demasiado en secarse.

d) Es preferible que aplique dos o tres capas delgadas de esmalte, en lugar de una sola gruesa.

e) Para aumentar el brillo y hacer que el esmalte dure más tiempo sobre la uña, aplique una capa de brillo transparente final

f) SI ESTÁ APURADA Y NECESITA QUE EL ESMALTE SE SEQUE RÁPIDAMENTE, UTILICE EL SECADOR DE PELO CON AIRE FRÍO O SUMERJA LA MANO EN UN RECIPIENTE CON AGUA MUY FRÍA.

g) RETIRE EL ESMALTE DE LAS UÑAS UN RATO ANTES DE BAÑARSE. CUANDO ESTÉ EN LA DUCHA, FROTE LA SUPERFICIE DE LAS UÑAS SUAVEMENTE CON UN CEPILLO DE CERDAS SUAVES. DE ESTA FORMA, FAVORECERÁ LA CIRCULACIÓN SANGUÍNEA.

h) ANTES DE APLICAR EL ESMALTE –SI SÓLO SE HA UTILIZADO EL QUITAESMALTE Y NO SE HA HECHO UNA BELLEZA DE MANOS COMPLETA–, SUMÉRJALAS DURANTE UNOS MINUTOS EN JABÓN NEUTRO. ASÍ QUEDARÁN LIMPIAS Y PREPARADAS PARA EL ESMALTE Y SU ACCIÓN SERÁ MÁS DURADERA.

Claves para pies perfectos

a) SUMERJA LOS PIES DURANTE DIEZ MINUTOS EN AGUA CALIENTE O TOME UN BAÑO DE INMERSIÓN. SÉQUELOS Y FROTE LAS PLANTAS Y LOS TALONES CON PIEDRA VOLCÁNICA (PIEDRA PÓMEZ) PARA SUAVIZAR LA PIEL Y ELIMINAR CÉLULAS MUERTAS.

b) NO CORTE LAS UÑAS DE LOS PIES EN EXCESO YA QUE PODRÍAN ENCARNARSE.
NO SE OLVIDE DE HUMECTAR LOS PIES CON CREMA PÉDICA

c) NUTRITIVA ANTES DE ACOSTARSE Y DE PONERSE MEDIAS PARA QUE EL CALOR AYUDE A QUE EL PRODUCTO ACTÚE EN PROFUNDIDAD.

d) UTILICE CALZADO CÓMODO QUE SE ADAPTE A LA FORMA NATURAL DE LOS PIES. EVITE LOS ZAPATOS DE PUNTA Y LOS TACOS MUY ALTOS YA QUE NO POSIBILITAN LA ADECUADA CIRCULACIÓN SANGUÍNEA.

e) DE MANERA DIARIA, HÁGASE UN AUTOMASAJE EN LOS PIES, TRABAJANDO ESPECIALMENTE LAS ALMOHADILLAS DE LOS DEDOS, PARA ACTIVAR LA CIRCULACIÓN Y COLABORAR CON LA RENOVACIÓN CELULAR.

Nota

Las técnicas para el cuidado y belleza de uñas de manos y pies que se ofrecen en el capítulo siguiente, han sido pensadas para que quien las aprenda las aplique a otra persona. En el caso de practicar un autotratamiento –en el que sólo tendrá una mano libre por vez–, siga los lineamientos básicos pero adaptándolos, en cuanto a secuencia y posibilidad, a cada caso en particular.

BELLEZA TOTAL EN

manos
y pies

ESPLÉNDIDAS UÑAS
almendradas

*

Corte de uñas y limado

1 Comience retirando restos de esmalte con un algodón embebido en quitaesmalte, en ambas manos.
Observe detenidamente el estado general de las uñas, su longitud y su forma, para decidir si será necesario cortarlas —si es que están demasiado largas— o sólo limarlas.

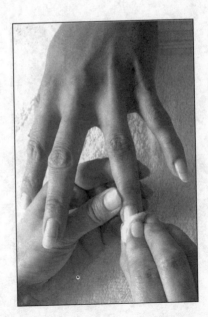

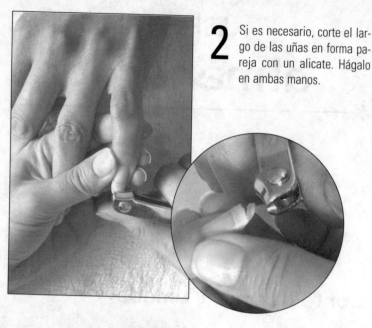

2 Si es necesario, corte el largo de las uñas en forma pareja con un alicate. Hágalo en ambas manos.

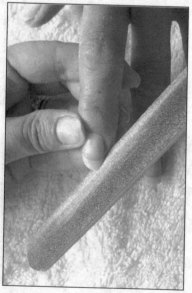

3 A partir de ahora, trabajará con una sola mano toda la secuencia (pasos 3 a 8).
Lime en primer lugar ambos costados de cada uña, para comenzar a redondear las esquinas.
Siga redondeando trabajando también en el extremo de la uña, para darle forma almendrada.

Cutículas y costados de las uñas

4 En un bol o cuenco con agua tibia y unas gotitas de ablandador de cutículas, sumerja los dedos de la mano en la que acaba de trabajar. Mientras actúa el producto, lime las uñas de la otra mano.

Elija siempre crema nutritiva para las manos ya que es muy recomendable para ablandar la cutícula.

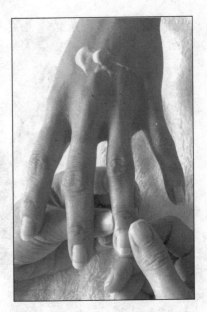

5 Retire la mano del bol o cuenco y séquela con cuidado. Sumerja los dedos de la mano cuyas uñas acaba de limar. Aplique una porción de crema nutritiva en el dorso de la mano.
Tome pequeñas porciones y extiéndalas sobre cada una de las cutículas.

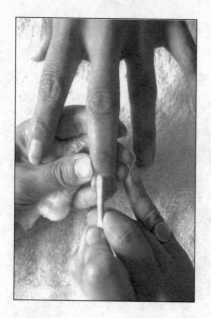

6 Con el empuja-cutículas, despegue la cutícula y llévela hacia el nacimiento de la uña.

Remueva el exceso de cutícula con removedor de cutículas, barriendo el nacimiento de la uña, de un lado hacia otro.

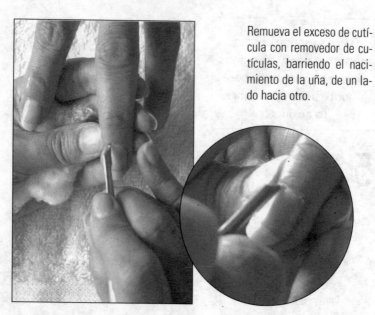

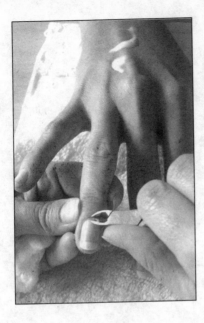

7 Si sigue habiendo demasiada cutícula, recórtela con un alicate de punta.

Barrera de las infecciones

Las cutículas actúan como una capa protectora ante la amenaza de hongos y bacterias en la zona de unión de la uña y la cutícula.
En lugar de cortar las cutículas pequeñas es preferible despegarlas con la ayuda del empuja-cutículas y empujarlas hacia el nacimiento de la uña.
Si por el contrario, se trata de cutículas grandes deben cortarse tal como se acaba de detallar en el paso 7.

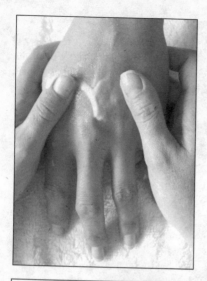

8 Extienda la crema nutritiva por toda la mano.
Realice un suave masaje que involucre a los dedos, para activar la circulación y hacer que la crema penetre. Luego, con una toalla humedecida en el agua del bol o cuenco, retire de la uña los restos de crema, para eliminar la grasitud. Repita la secuencia con la otra mano.

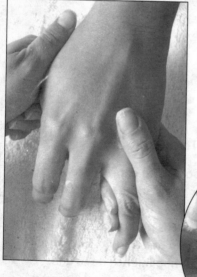

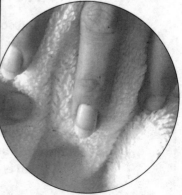

Aplicación del esmalte

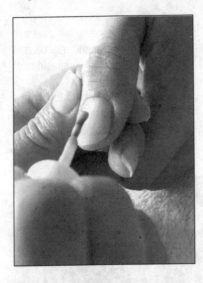

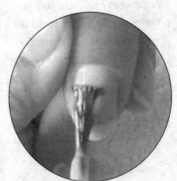

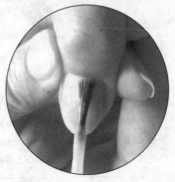

9 Si aplica el esmalte en la uña de otra persona, presione en los costados del dedo para separar la piel y dejar expuesta la uña a pintar.

Aplique una capa de fortalecedor y luego, el esmalte, de la siguiente manera:

• Primera pincelada: desde el centro del nacimiento de la uña hacia un costado.

• Segunda pincelada: desde el centro del nacimiento de la uña hacia el costado opuesto.

• Tercera pincelada: desde el centro del nacimiento de la uña, en forma recta, hasta el borde.

Si lo desea, puede aplicar una capa de brillo transparente a modo de protección del esmalte y para resaltar aún más el color.

10 Con un hisopo de algodón, retire las manchas de esmalte que puedan haberse producido al pintar la uña.
Cuando haya terminado, aplique spray o líquido secaesmalte.

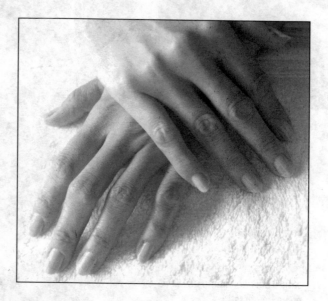

En los tonos de piel amarillentos u olivinos se lucen los esmaltes de colores cálidos. Asimismo, en las pieles claras es conveniente emplear esmaltes fríos (rosados, violetas, etcétera).

FANTÁSTICAS UÑAS
cuadradas

✳

Corte de uñas y limado

1 Retire, con un algodón embebido en quitaesmalte, restos de esmalte en las uñas de ambas manos.
Luego, obsérvelas para decidir si será necesario cortarlas o limarlas.

2 En este caso, no es necesario cortar las uñas. Por lo tanto, para limarlas y darles forma cuadrada, tome la lima y, en primer lugar, trabaje en forma paralela a la uña para que el extremo quede recto. A partir de ahora, trabajará con una sola mano toda la secuencia (pasos 2 a 11).

3 Los costados de las uñas deberán ser apenas limados, pues si se lima en exceso se perderá la forma recta recién obtenida, y se redondearán los extremos.

Elija la lima adecuada según el tipo de uña. Existen limas más o menos abrasivas, las que se seleccionan en función de la dureza de las uñas.

4 Finalice la tarea de limado en esta mano dando unos toquecitos con la lima en los extremos, para suavizarlos sin llegar a redondearlos.

5 Sumerja la mano en un bol o cuenco con agua tibia y unas gotas de ablandador de cutícula. Mientras actúa el producto, lime las uñas de la otra mano.

Cutículas y costados de las uñas

6 Retire la mano del bol o cuenco e introduzca la que acaba de limar. Seque con una toalla y aplique una porción de crema nutritiva en el dorso de la mano. Tome pequeñas porciones y extiéndalas sobre cada una de las cutículas.

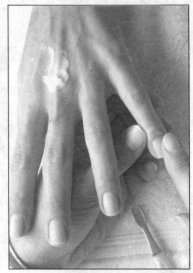

7 Con el empuja-cutículas, despegue la cutícula y empújela suavemente hacia el nacimiento de la uña.

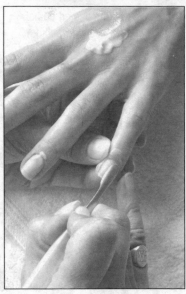

8 De ser necesario, remueva el exceso de cutícula con el removedor de cutículas, barriendo con la herramienta el nacimiento de la uña, de un lado hacia otro.

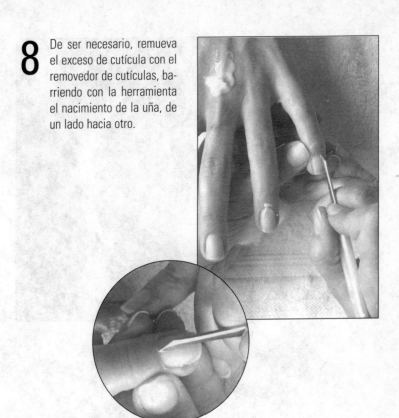

La mano que más
se emplea es la que más
cutícula tendrá.
Por ello, las personas
diestras tendrán más
cutícula en su mano
derecha y viceversa.

9 Corte la piel de los costados de la uña con el alicate de punta. En este caso, no ha sido necesario cortar exceso de cutícula con alicate.

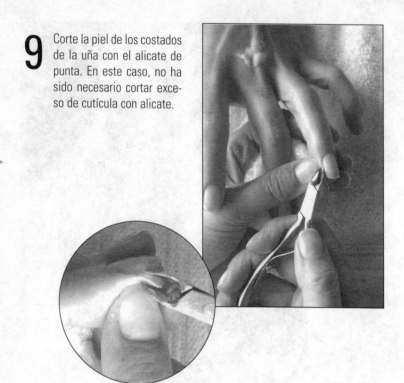

Es conveniente aclarar que si se corta demasiado la piel de los costados de las uñas, la zona puede enrojecerse e incluso infectarse.

10 Extienda la crema nutritiva que había colocado en el dorso por toda la mano, realizando un suave masaje que active la circulación y ayude a la penetración del producto.

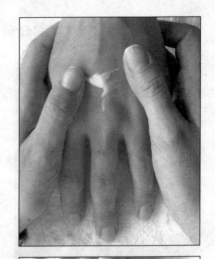

11 Retire, con el removedor de cutículas, los restos de crema que pudieran haber quedado debajo de cada uña.

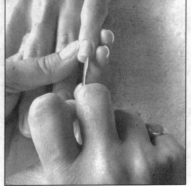

Con una toalla apenas humedecida en el agua del bol o cuenco, retire de la superficie de la uña los restos de crema, para eliminar la grasitud.
Repita la secuencia con la otra mano.

Las uñas "francesitas"

12 Elija un esmalte blanco cremoso y aplíquelo en el extremo de la uña, en un solo trazo, con el pincel del esmalte. (Si no le ha quedado muy prolijo puede corregir el trazo con otra pincelada, aunque es mejor hacerlo en una sola).

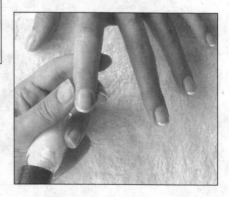

La única zona de la uña que debe cubrirse es la que no está en contacto con la piel, es decir, la zona aérea.

Cuando termine con una uña, verifique que no se hayan manchado los costados o la zona de abajo de las uñas. Si es así, limpie con un hisopo de algodón.

Aplicación del esmalte

13 Una vez seco el esmalte, elija un brillo transparente o traslúcido y pinte cada una de las uñas, según la técnica explicada en la página 29.

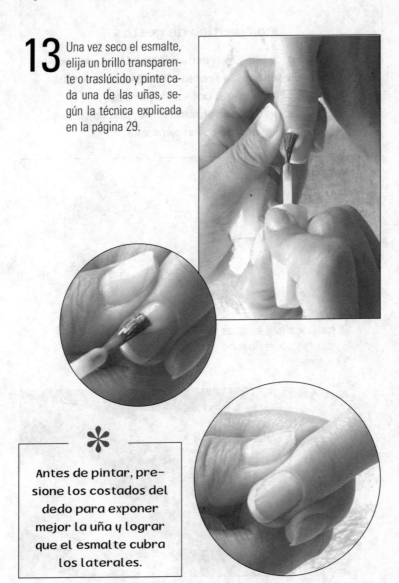

✳

Antes de pintar, presione los costados del dedo para exponer mejor la uña y lograr que el esmalte cubra los laterales.

Una cuestión de gustos

Si trabaja con brillo traslúcido y aplica una sola capa de esmalte, la franja blanca quedará más visible que si aplica dos capas.
La aplicación de una segunda capa, por lo tanto, es una decisión personal.

14 Si trabajó con brillo traslúcido puede aplicar, para finalizar la tarea, una capa de brillo transparente.

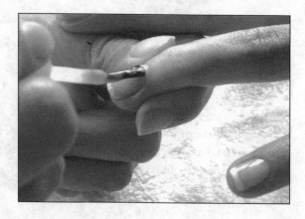

15 Con un hisopo de algodón, retire las manchas de esmalte que puedan haberse producido al pintar la uña.
Cuando haya terminado, aplique spray o líquido secaesmalte.

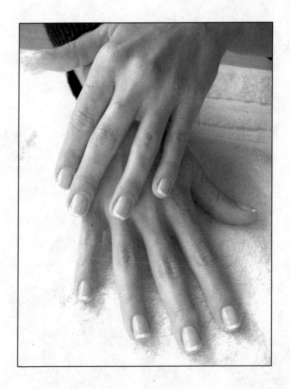

BELLAS UÑAS
postizas

＊━━━━━━━━━━━━━━━━━━━━━━━━

¿Uñas postizas o uñas esculpidas?

Las mujeres que poseen uñas débiles o de crecimiento lento suelen recurrir a la aplicación de uñas postizas.

Las uñas esculpidas, tal y como su nombre lo indica, se esculpen directamente sobre un papel especial con que se cubre la uña original, a partir de una pasta acrílica que se moldea con espátula. Las uñas esculpidas requieren un retoque que se realiza cada quince o veinte días, y tienen la ventaja de que protegen a la uña natural, permitiendo que se fortalezca.

El ABC de las uñas postizas

A continuación, detallamos los pasos indispensables que se deben realizar antes de la aplicación de las uñas postizas.

a) REALIZAR LA MANICURA EN LAS MANOS EN LAS QUE SE VAYA A APLICAR LAS UÑAS POSTIZAS. ES DECIR, EL LIMADO DE LAS UÑAS, LA ELIMINACIÓN DE LAS CUTÍCULAS Y LAS REBABAS. ADEMÁS, CON UN ALGODÓN EMBEBIDO EN ACETONA O QUITAESMALTE, ELIMINAR LOS RESTOS DE ESMALTE O CALCIO DE LAS UÑAS.

b) EXISTE UNA GRAN VARIEDAD DE UÑAS POSTIZAS EN EL MERCADO. LAS HAY DE DIFERENTES COLORES Y MATERIALES, E INCLUSO DE VÍA LÁCTEA O CON LAS PUNTAS CUADRADAS Y REDONDAS. (EN LAS FOTOGRAFÍAS QUE SE INCLUYEN EN ESTE LIBRO SE UTILIZARON LAS UÑAS POSTIZAS DE ACRÍLICO TRANSPARENTE).

c) ELEGIR EL SET DE UÑAS POSTIZAS NUMERADAS YA QUE FACILITAN SU PRUEBA Y POSTERIOR COLOCACIÓN EN LAS UÑAS DE LA PERSONA EN LA QUE SE VAN A APLICAR.

d) LAS UÑAS POSTIZAS SE CORTAN DE ATRÁS HACIA ADELANTE.

e) USAR SIEMPRE PEGAMENTO PROFESIONAL PARA ADHERIR LAS UÑAS POSTIZAS.

f) AUNQUE LA DURACIÓN DE LAS UÑAS POSTIZAS DEPENDE DE LAS DIFERENTES TAREAS QUE SE REALICEN, POR LO GENERAL, LAS DE ACRÍLICO DURAN 15 DÍAS.

Colocación

1 Seleccione las uñas de ambas manos en función del tamaño de las uñas naturales sobre las que se las va a colocar.

2 Pruebe la uña correspondiente a cada dedo para verificar que el tamaño y la curvatura sean los correctos y determinar la necesidad de cortarlas.

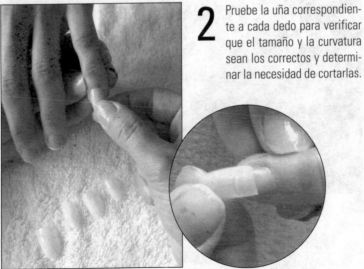

3 De ser necesario, recorte las uñas postizas con el alicate, no en el extremo sino en el nacimiento.

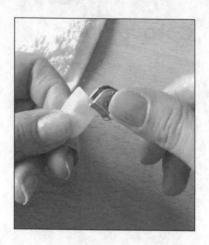

4 Lime en forma paralela con la parte más gruesa de la lima el nacimiento de la uña que acaba de cortar.
Suavice las esquinas con la lima, dándoles forma curva.

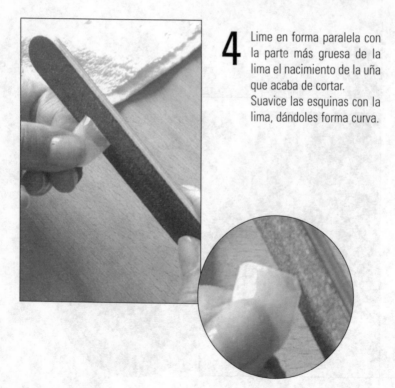

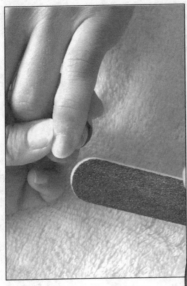

5 Lime las uñas de las manos en el extremo y en los costados para redondearlas. Lime suavemente la superficie de las mismas, para que resulte ligeramente abrasiva y permita una mejor adhesión de la uña postiza.

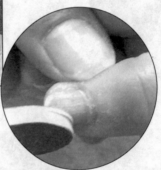

No olvide cortar de manera pareja las uñas de las manos ya que, si no lo hace, al colocar las uñas postizas se pueden transparentar.

No elimine las cutículas de las uñas de manera total para poder insertar en ellas las uñas postizas en el momento de pegarlas.

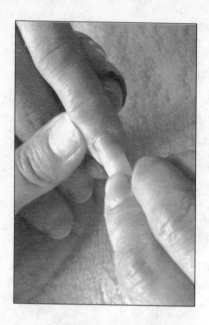

6 Vuelva a probar cada uña para rectificar el corte y/o el limado.

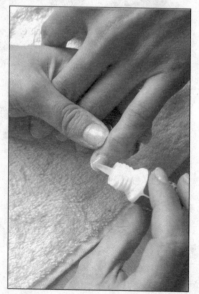

7 Aplique una gota de pegamento de uñas profesional sobre la uña y deje secar durante unos segundos.

Para sucesivas aplicaciones, puede conservar el pegamento refrigerado.

8 Coloque la uña postiza y presione para que no se formen burbujas de aire.

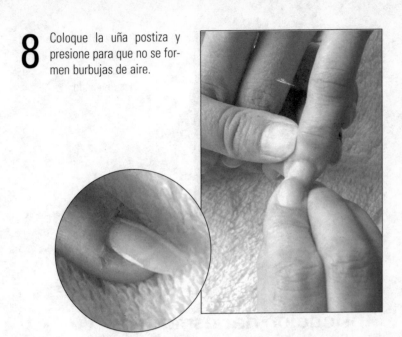

9 Lime la uña postiza suavemente, para eliminar imperfecciones y darles un aspecto más natural.

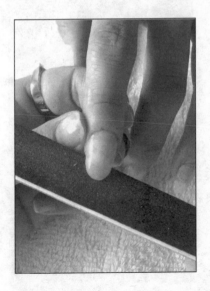

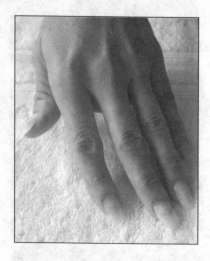

Revise la tarea realizada para determinar si es necesario hacer correcciones al limado.

Aplicación del esmalte

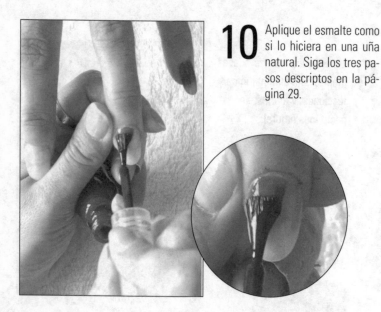

10 Aplique el esmalte como si lo hiciera en una uña natural. Siga los tres pasos descriptos en la página 29.

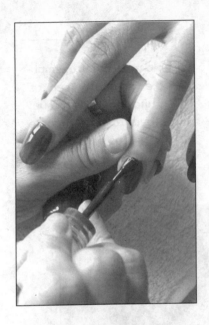

11 Dado que la uña postiza de acrílico absorbe más el esmalte que la uña natural, es conveniente aplicar dos, e incluso tres capas. Deje secar bien entre una y otra aplicación.

12 Si desea un efecto más impactante, puede aplicar una última capa de brillo transparente irisado.

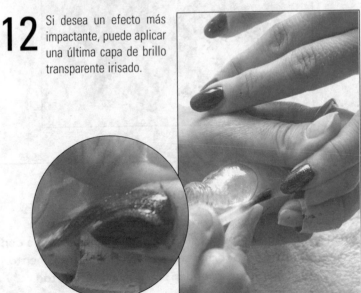

13

Cada vez que termina de pintar una uña, recuerde limpiar con un hisopo de algodón los costados de los dedos para eliminar manchas de esmalte.

Para finalizar, aplique spray o líquido secaesmalte.

No utilice quitaesmalte con acetona en las uñas postizas ya que levanta el acrílico de las mismas.

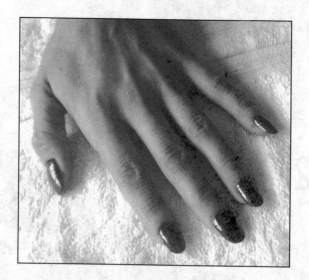

Cuándo y cómo retirarlas

Las uñas postizas duran colocadas unos quince días. Para retirarlas, coloque las manos en un bol o cuenco con agua tibia. De esta forma se va aflojando el pegamento y las uñas se desprenden sin ninguna dificultad.

Corte de uñas y limado

1 Los pies deben estar limpios y secos antes de empezar a embellecerlos. Revise y verifique el largo de las uñas.

Con la ayuda del alicate, corte las uñas separando cada dedo del resto. Con el dedo pulgar de su mano, ejerza una leve presión sobre la almohadilla de la uña que va a cortar. Empuje levemente hacia abajo, para que el borde de la uña quede más expuesto.

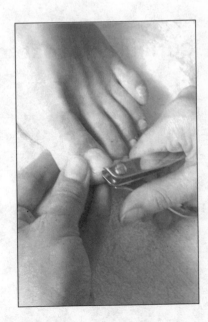

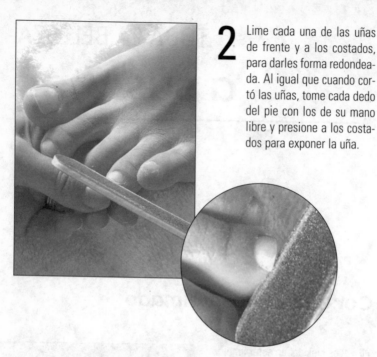

2 Lime cada una de las uñas de frente y a los costados, para darles forma redondeada. Al igual que cuando cortó las uñas, tome cada dedo del pie con los de su mano libre y presione a los costados para exponer la uña.

Cutículas y costados de las uñas

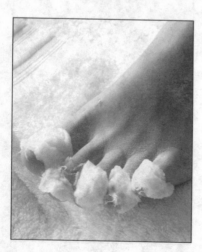

3 Embeba trocitos de algodón en agua con ablandador de cutículas, y cubra cada uña con ellos.

4 Retire el algodón y seque suavemente con una toalla.

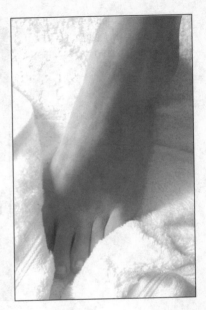

✳

Si la uña es muy gruesa, pula la capa superficial en forma liviana con una lima especial de forma cilíndrica.

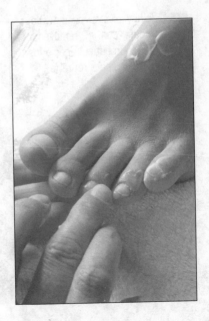

5 Aplique crema nutritiva en el empeine, y luego vaya tomando pequeñas porciones para extenderlas en la superficie de cada uña, desde el extremo hasta cubrir las cutículas.

6 Con el empuja-cutículas, empuje las cutículas hasta el nacimiento de las uñas.

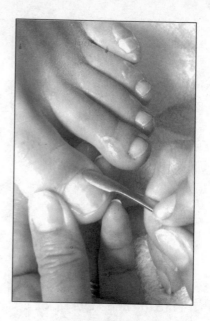

7 Si hay exceso de cutícula, trabaje con el removedor barriendo cutícula hacia los costados, para retirarla.

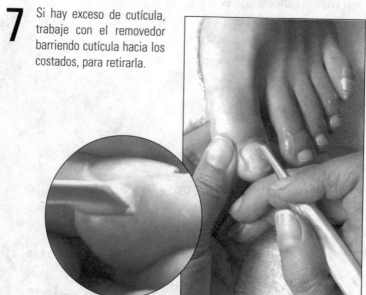

8 Si la cutícula es excesiva, córtela con un alicate de punta.

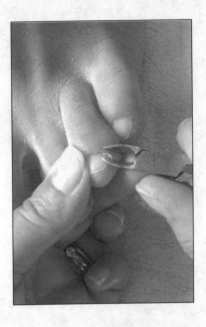

9 Con el mismo alicate, corte los excesos de piel de los costados de las uñas.

10 Extienda el sobrante de crema nutritiva por todo el pie. Deje que la crema actúe unos momentos. Luego, seque con una toalla para eliminar el exceso de grasitud de la crema.

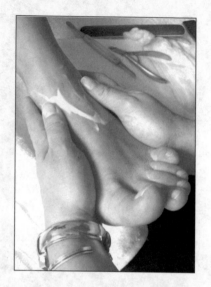

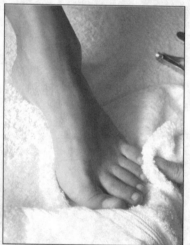

Cómo eliminar asperezas

11 Pase la escofina en las zonas donde haya durezas: comience en la base del talón y en los costados, y siga en ambos costados del pie. Trabaje especialmente en la planta del pie, sobre todo en la zona de la almohadilla y en las almohadillas de los dedos.

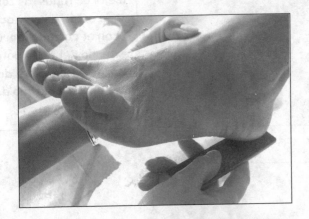

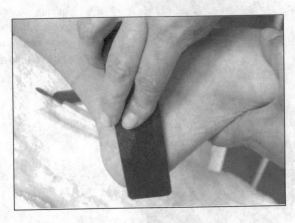

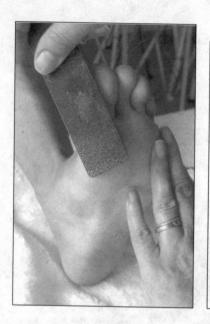

Una vez que ha pasado la escofina (o si la piel es muy delgada), trabaje con una lima para pies, mojándola previamente con agua tibia. Así podrá mejorar todas las zonas que están en contacto con el calzado (borde externo del dedo pulgar, borde externo del dedo meñique, costado del talón, etc.).

12 Aplique nuevamente crema nutritiva y realice un masaje revigorizante en todo el pie.

Aplicación del esmalte

13 Para trabajar mejor, coloque un trocito de algodón entre dedo y dedo.

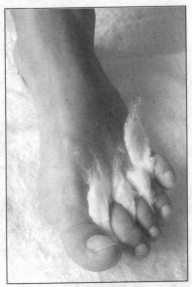

14 Presione el dedo en los costados y aplique el esmalte elegido según la técnica explicada en la página 29.

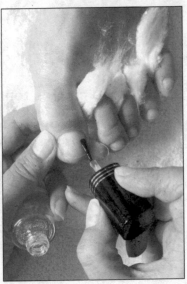

15

Al terminar de pintar cada uña, limpie con un hisopo de algodón alrededor de la uña.

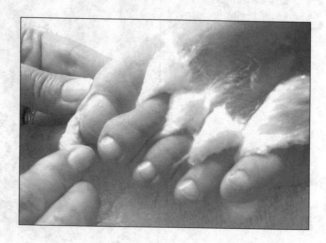

Cuidado con los tonos de esmalte oscuro

Si usted prefiere pintar las uñas con tonos oscuros es necesario descansar semana por medio, pintándolas con un tono claro o con brillo. La razón es que el pigmento de los tonos suele ser absorbido por la uña y ésta adquiere un leve tinte rosado o amarillento que la afea. Antes de pintar las uñas con un color oscuro, aplique una capa de fortalecedor para protegerlas y atenuar la pigmentación.

ÍNDICE

Uñas y cutículas: consejos básicos   3

    Toda la belleza en nuestras uñas   5

    La hidratación de manos y pies   7

    Cómo lograr uñas perfectas   9

    Los aliados de la belleza   11

    La importancia de la alimentación   15

    Manos y pies perfectos   17

Belleza total en manos y pies   21

    Espléndidas uñas almendradas   23

    Fantásticas uñas cuadradas   31

    Bellas uñas postizas   43

    Toda la belleza a sus pies   53

PASO A PASO, LA BELLEZA
en su poder

UÑAS **naturales**

Corte de uñas y limado
TÉCNICA GENERAL

Retire posibles restos de esmalte con un algodón embebido en quitaesmalte, en ambas manos.

Observe el estado general de las uñas, su longitud y su forma, para decidir si será necesario cortarlas o sólo limarlas.

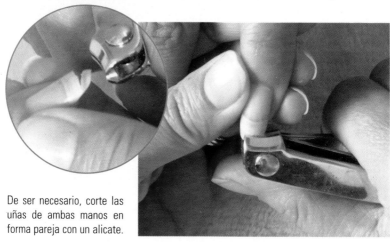

De ser necesario, corte las uñas de ambas manos en forma pareja con un alicate.

LIMADO PARA UÑAS ALMENDRADAS

A partir de ahora, trabajará en una sola mano, pues las uñas de la otra mano se limarán posteriormente.

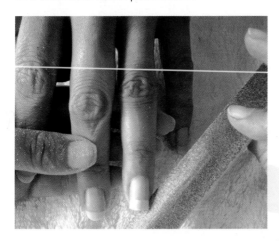

Lime en primer lugar los costados de cada uña, para comenzar a redondear las esquinas.

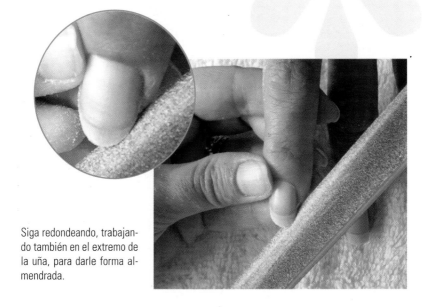

Siga redondeando, trabajando también en el extremo de la uña, para darle forma almendrada.

LIMADO PARA UÑAS CUADRADAS

Para obtener uñas cuadradas, deberá trabajar en primer lugar colocando la lima en forma paralela a la uña, para darle forma recta.

Lime apenas los costados de las uñas, pues si lo hace en exceso perderá la forma recta recién obtenida, y se redondearán los extremos.

Finalice la tarea de limado trabajando en las esquinas, para suavizarlas sin llegar a redondearlas.

Cutículas y costados de las uñas

TÉCNICA GENERAL

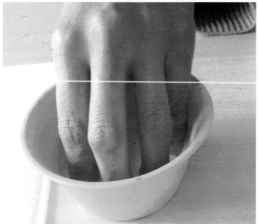

Sumerja la mano en un bol o cuenco con agua tibia y ablandador de cutículas. Mientras tanto, comience a limar las uñas de la otra mano.

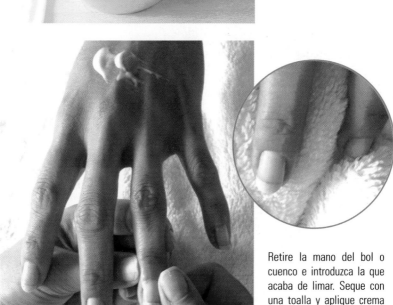

Retire la mano del bol o cuenco e introduzca la que acaba de limar. Seque con una toalla y aplique crema nutritiva sobre las cutículas.

Con el empuja-cutículas, despegue la cutícula y empújela hacia el nacimiento de la uña.

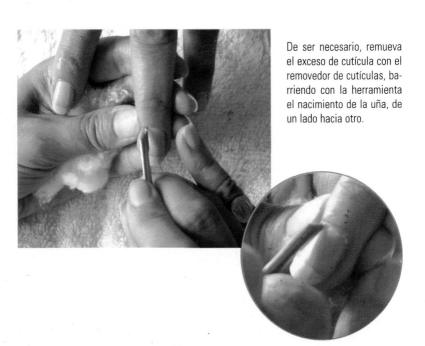

De ser necesario, remueva el exceso de cutícula con el removedor de cutículas, barriendo con la herramienta el nacimiento de la uña, de un lado hacia otro.

Si sigue habiendo demasiada cutícula, recórtela con un alicate de punta.

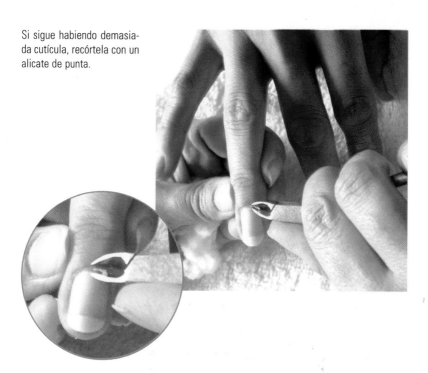

Recorte el exceso de piel de los costados de las uñas, con el mismo alicate.

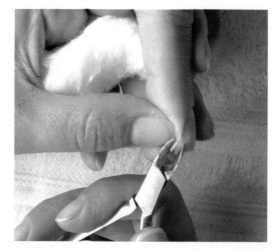

Extienda la crema nutritiva por la mano en la que acaba de trabajar.
Realice un suave masaje para activar la circulación.

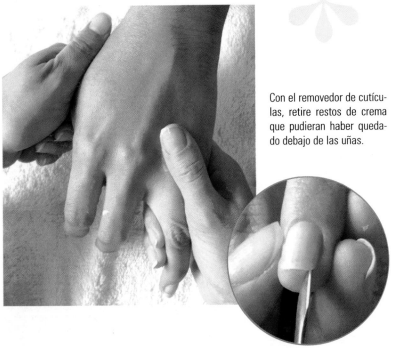

Con el removedor de cutículas, retire restos de crema que pudieran haber quedado debajo de las uñas.

Aplicación del esmalte

ANTES DE COMENZAR...

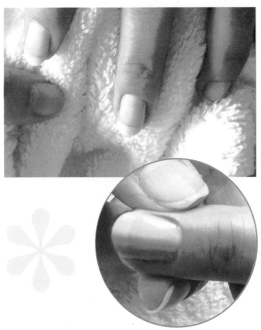

Con una toalla humedecida en el agua del bol o cuenco, retire de la superficie de la uña los restos de crema que pudieran haber quedado, para eliminar la grasitud.

Si va a aplicar el esmalte en las uñas de otra persona, tome cada dedo con dos dedos de su mano y presione en los costados, para separar la piel y dejar expuesta la uña a pintar. Así evitará manchar los costados y la pincelada cubrirá completamente los laterales de las uñas.

UÑA CLÁSICA

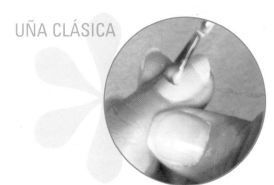

Si va a pintar las uñas de manera clásica (sin "francesita"), aplique una mano de fortalecedor para uñas, y deje secar.

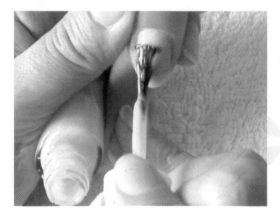

Extienda la primera pincelada desde el centro del nacimiento de la uña hacia un costado.

Extienda la segunda pincelada desde el centro del nacimiento de la uña, pero ahora hacia el otro costado.

La tercera pincelada se extiende desde el centro del nacimiento de la uña, en forma recta, hasta el borde.

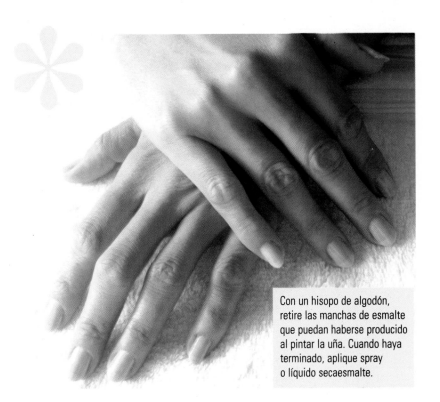

Con un hisopo de algodón, retire las manchas de esmalte que puedan haberse producido al pintar la uña. Cuando haya terminado, aplique spray o líquido secaesmalte.

FRANCESITA

Extienda el esmalte blanco cremoso con un solo trazo del pincel, en el extremo de la uña, de borde a borde.

Con un hisopo de algodón, limpie los excesos de esmalte en los costados y debajo de la uña.

Tal como se explicó anteriormente, antes de pintar cada uña tome el dedo con dos dedos de su mano y presione en los costados, para separar la piel y dejar expuesta la uña a pintar.

Una vez seco el esmalte cremoso, pinte cada uña con esmalte transparente o traslúcido, siguiendo la técnica descripta anteriormente.

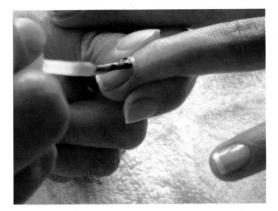

Finalice con una capa de brillo transparente.

Con un hisopo de algodón, retire las manchas de esmalte que puedan haberse producido al pintar la uña. Cuando haya terminado, aplique spray o líquido secaesmalte.

UÑAS **postizas** *

Colocación

Seleccione las uñas de ambas manos en función del tamaño de las uñas naturales sobre las que se las va a colocar.

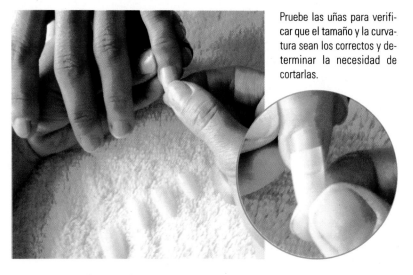

Pruebe las uñas para verificar que el tamaño y la curvatura sean los correctos y determinar la necesidad de cortarlas.

De ser necesario, recorte las uñas postizas con el alicate, no en el extremo sino en su nacimiento.

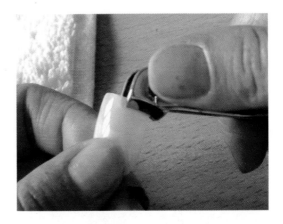

Lime en forma paralela con la parte más gruesa de la lima el nacimiento de la uña que acaba de cortar.

Suavice las esquinas con la lima, dándoles forma curva.

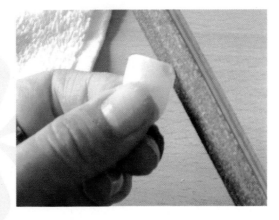

Corte las uñas naturales en forma pareja, para que luego no se transparenten, y trabaje como se explicó para las uñas naturales, empujando y retirando cutículas. En este caso, es conveniente que quede un poco de cutícula para que la uña postiza se inserte debajo de ella.

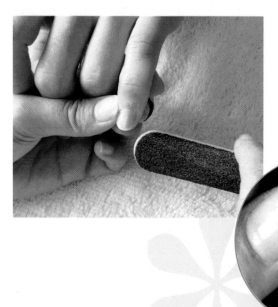

Lime las uñas en el extremo y en los costados para redondearlas. Lime suavemente la superficie de la uña, para que resulte ligeramente abrasiva y permita una mejor adhesión de la uña postiza.

Vuelva a probar cada uña para rectificar el corte y/o el limado.

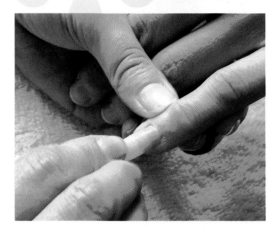

Aplique una gota de pegamento de uñas profesional sobre la uña y deje secar durante unos segundos.

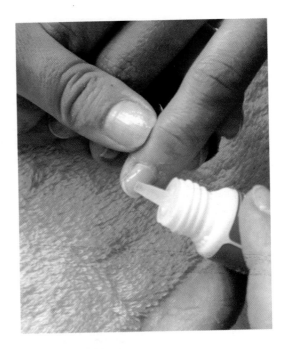

Coloque la uña postiza y presione para que no se formen burbujas de aire.

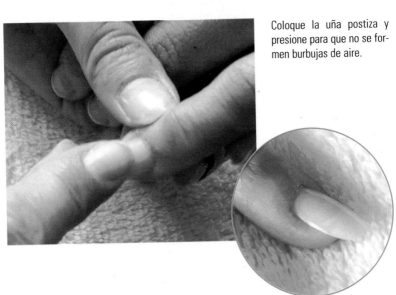

Lime la uña postiza suavemente, para eliminar imperfecciones y darle un aspecto más natural.

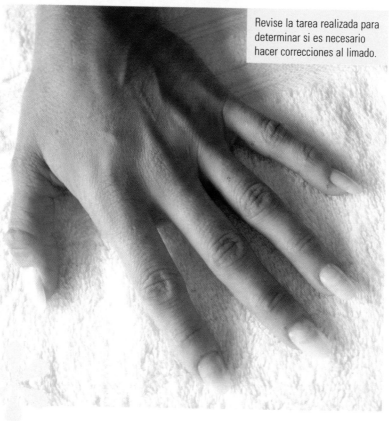

Revise la tarea realizada para determinar si es necesario hacer correcciones al limado.

Aplicación del esmalte

Aplique la primera capa de esmalte, según la técnica explicada anteriormente.

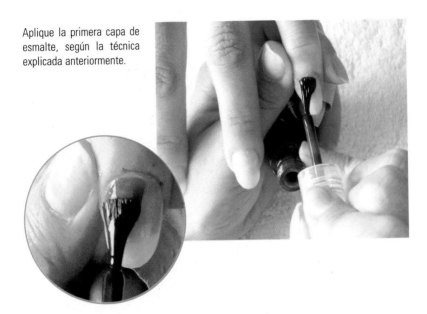

Debido a que la uña postiza de acrílico absorbe más el esmalte que la uña natural, es conveniente aplicar dos, e incluso tres capas. Deje secar bien entre una y otra aplicación.

Con un hisopo de algodón, cada vez que termine de pintar una uña limpie posibles manchas de esmalte en los costados y debajo de ella.

Si desea un efecto más impactante, puede aplicar una última capa de brillo transparente irisado.

BELLEZA DE LOS pies*

Corte de uñas y limado

Observe las uñas y, de ser necesario, recórtelas con el alicate.

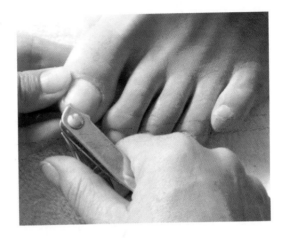

Lime las uñas hasta darles forma redondeada.

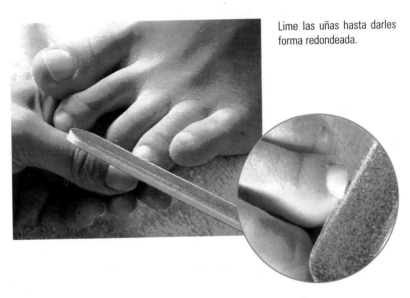

Cutículas y costados de las uñas

Embeba trocitos de algodón en agua con ablandador de cutículas, y cubra cada uña con ellos.

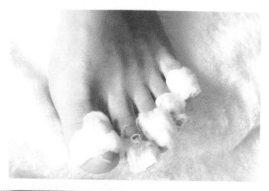

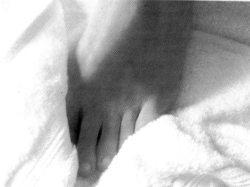

Retire el algodón y seque suavemente con una toalla.

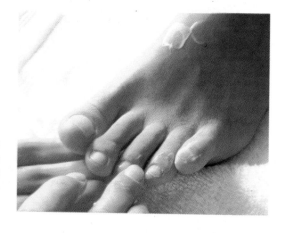

Aplique crema nutritiva en el empeine, vaya aplicando pequeñas porciones en las uñas, desde el extremo hasta cubrir las cutículas.

Empuje las cutículas hasta el nacimiento de las uñas.

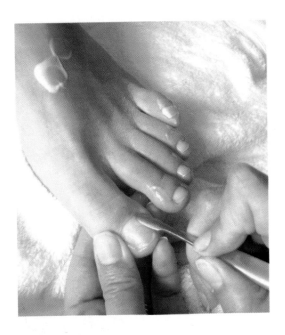

Si hay exceso de cutícula, trabaje con el removedor barriendo cutícula hacia los costados, para retirarla.

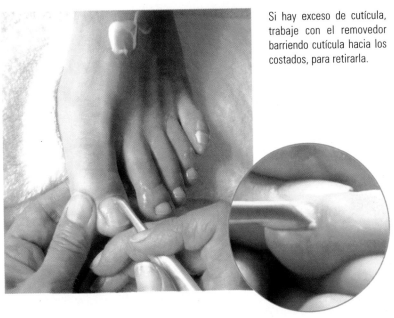

Si la cutícula es excesiva, córtela con un alicate de punta.

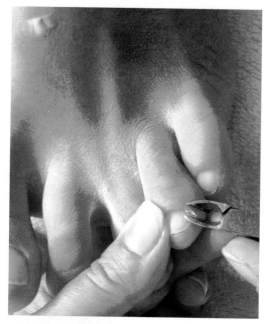

Con el mismo alicate, corte los excesos de piel de los costados de las uñas.

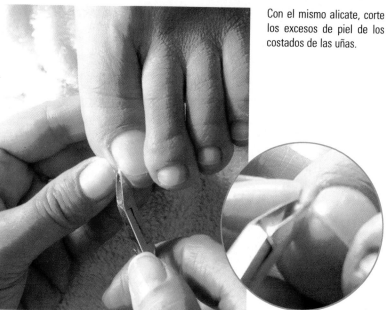

Extienda el sobrante de crema humectante por todo el pie. Deje que la crema actúe unos momentos.

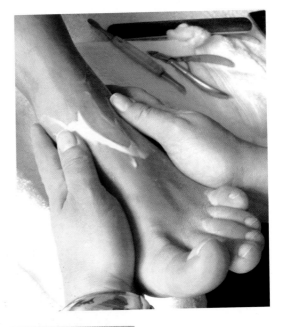

Luego, seque con una toalla para eliminar el exceso de grasitud de la crema.

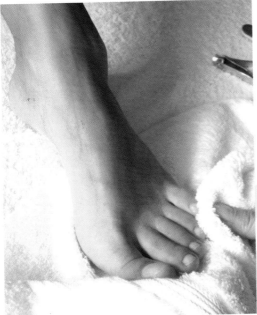

Cómo eliminar asperezas

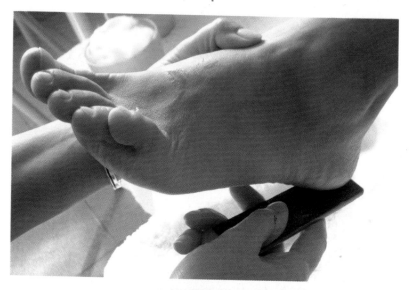

Pase la escofina en las zonas donde haya durezas: comience en la base del talón y en los costados, y siga en ambos costados del pie.

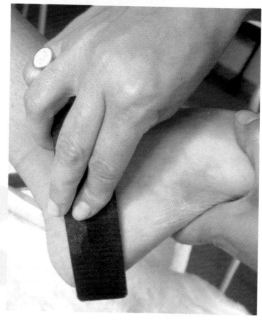

Trabaje especialmente en la planta del pie, sobre todo en la zona de la almohadilla y en las almohadillas de los dedos.

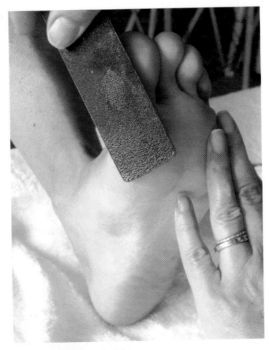

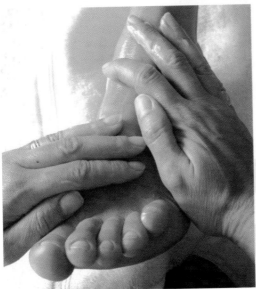

Aplique nuevamente crema nutritiva y realice un masaje revigorizante en todo el pie.

Aplicación del esmalte

Para trabajar mejor, coloque un trocito de algodón entre dedo y dedo.

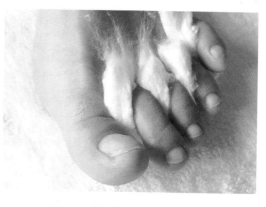

Presione el dedo en los costados y aplique el esmalte elegido según la técnica explicada con anterioridad.

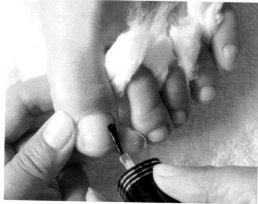

Al terminar de pintar cada uña, limpie con un hisopo de algodón alrededor de la uña.

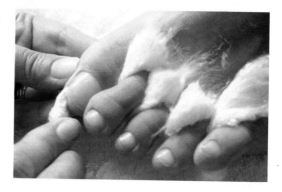

BRILLO Y COLOR EN SUS
manos*

BELLA DE DÍA

Clásica, la opción ideal para las que deben estar impecables todo el día. Uñas cuadradas con aplicación de esmalte cremoso en tono marfil, que combina a la perfección con cualquier color de vestimenta.

SOBRIA Y MODERNA

Una variante de la "francesita", con pinceladas en diagonal que se cruzan en el centro de la uña.

ÚNICA

Sobre una base blanquecina, una única aplicación de brillo dorado, en una sola franja.

TENUE

Ideal para jovencitas, uñas con "francesita" con un delicado detalle en la uña del pulgar.

FESTIVA

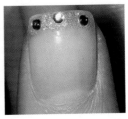

Impactante: sobre una base irisada, aplicación de piedras de fantasía.

AQUARIUM

Turquesa intenso para las uñas y la sorpresa de dos pequeños pececitos en cada dedo anular.

COLORIDO CARIBE

Sobre una base de brillo blanquecino, estalla el color del Caribe en forma de flores y hojas.

AZUL DE NOCHE

Un suave brillo iridiscente se combina con la intensidad del azul noche aplicado en la zona aérea. Una opción ideal para una salida inolvidable.

CLÁSICA Y ACTUAL

Sobre una base borgoña nacarado se destaca la aplicación de pequeñísimas flores blancas, para dar un toque actual a cada dedo anular.

PSICODELIA

Atrévase a jugar con los colores para crear formas caprichosas en las uñas.

MEDITERRÁNEA

Un toque mediterráneo: el fantástico contraste del blanco más puro con el azul más vivo.

MUSIC HALL

Forma y contraste, brillos y destellos y toda la elegancia del blanco nacarado combinado con el negro. La mejor opción para noches de gala.

HOT NIGHT

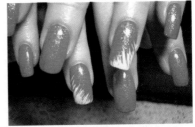

Vibra el rojo furioso. ¿El detalle?: brillo dorado en todas las uñas y destellos de blanco en la del dedo anular.

TERNURA FLORAL

Flores pequeñas, en este caso sobre una base casi transparente. Dos alternativas ideales para un gran evento a la luz del día.

ROMÁNTICAS

Alternativas ideales para novias o jovencitas que cumplen sus quince años.

BRILLO Y COLOR EN SUS
pies*

LUZ DE VERANO

Una divertida alternativa para primavera y verano: esmalte blanco cremoso aplicado en diagonal, en cada uña, y una pequeña flor en plateado y morado.

TROPICALIA

CLÁSICA Y COMBINADA

El rojo vibrante combina a la perfección con los pies morenos. ¿El detalle?: un alegre motivo floral.

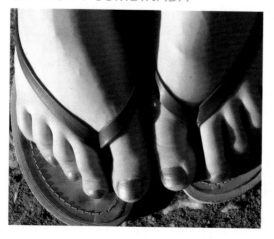

Los pies son una de las zonas más miradas del cuerpo de una mujer. Intente, como en este caso, que el color de esmalte elegido combine con el del calzado y, por supuesto, con el del resto de la vestimenta.